SHONAN DAYS

ISSUE 01

RIZAP
MELDIA
14
7
ィアグループ
栄建築設計

FUJITA

産業能率
9
WELLINGTON
日本端子

SHONAN DAYS

ISSUE 01

Contents

9 WELLI

ウェリントン

Profile

2021年4月25日に行われたJ1第11節清水エスパルス戦でベルマーレに復帰後初出場。後半途中に入ると豪快なヘディングでゴールを決めてチームに勝点をもたらした。選手キャッチフレーズは「超特大砲(バズーカ)」。

1988年2月11日生まれ、ブラジル・サンパウロ州出身。サッカー歴：インテルナシオナル▶サンカエターノ▶ナウチコ(以上ブラジル)▶TSG ホッフェンハイム(ドイツ)▶FC トゥエンテ(オランダ)▶フォルトゥナ・デュッセルドルフ(ドイツ) ▶フィゲレンセ▶ゴイアス▶ペロタス(以上ブラジル)▶湘南ベルマーレ▶ポンチ・プレッタ(ブラジル)▶アビスパ福岡▶ヴィッセル神戸▶ボタフォゴ SP (ブラジル)▶湘南ベルマーレ

INTERVIEW

人生のたのしみ方

2013年と2014年にベルマーレでプレーした後、ブラジルや日本のクラブを渡り歩いた。7年ぶりの復帰が決まり、今年4月になってようやくチームに合流。強烈なヘディングでファンを魅了するウェリントンが考える、人生のたのしみ方とは。

取材・文＝隈元大吾　Words by Kumamoto Daigo
写真＝兼子慎一郎（試合）、大西 徹（練習）　Photography by Kaneko Shin-ichiro, Onishi Toru

NGTON

――去る7月31日（土）、「湘南のShow timeだ！真夏のキックベース大会in 茅ヶ崎 Presented by FIELD MANAGEMENT」が初開催されました。感想を聞かせてください。

ウェリントン　初めての経験でしたが、すごく楽しかったです。残念ながらうちのチームは負けてしまいましたが……（笑）。

――キックベースのルールは知っていましたか？

ウェリントン　4回ほど野球の試合を見たことがあるので、ルールはだいたい理解していました。

――案外、長打が出なかったですね。

ウェリントン　そうですね。ホームランを狙っていたんですけど、力が入り過ぎてしまい、ボールが上がっていかなかったですね。

――強い日差しが降り注ぐ真夏日でしたが、たくさんのサポーターが訪れました。

ウェリントン　コロナ禍の今、試合は入場制限があり、交流もできない中で、サポーターと触れ合う時間をいただけてすごくよかったです。暑かったですが、皆さんリラックスして楽しい一日を過ごせたのではないかなと思います。

ファミリーのような雰囲気を持っているクラブ

――ウェリントン選手は今シーズン7年ぶりにベルマーレに復帰しました。時を経ても変わらないこのクラブならではの良さを感じることはありますか？

ウェリントン　（以前在籍した2013～2014年から）監督やコーチ、選手はほとんど入れ替わりましたが、サッカーのスタイルは変わっていないと思います。おかげで自分がチームにフィットするのに時間もかかりませんでした。また、選手たちが僕ら外国籍選手を明るく受け入れてくれるところも以前と変わらないですね。

――それはメンバーが入れ替わっても変わらない、ベルマーレの雰囲気でしょうか。

ウェリントン　そうだと思います。ファミリーのような雰囲気を持っているクラブなので、僕らも気持ちよくプレーできるし、このチームを嫌いになる外国籍選手はいないと思います。

――ウェリントン選手をはじめ、ベルマーレの外国籍選手はみんな明るいですが、いつもどんな話をしているのですか？

8月7日取材

御前崎キャンプでドローンから撮影した映像を見て気づいたこと

「ドローンや他のカメラで撮った違う角度からの映像は、やはり自分たちがやっているときに見えないところが見えて、自分の立ち位置やどういう判断をすれば適切でよかったか、というのもあらためて見ることができるので、すごく助かります」

ウェリントン　今までの経験、楽しかったこともつらかった出来事もお互い話しますし、もちろんサッカーだけでなくプライベートの話もします。冗談もよく言い合ってますね。

――ウェリントン選手とウェリントン ジュニオール選手、オリベイラ選手は、特に田中聡選手と仲がよさそうに見えます。キックベース大会でもふざけ合う場面が見られました。

ウェリントン　まず好きなのは、彼の人間性ですね。浮ついたところがなく、すごく謙虚。加えて、彼のプレーも好きです。若いけどすごくクオリティーの高いサッカーをしている。ブラジルではよく親しみを込めて、仲のいい選手や好きな人の名前の語尾に「イーニョ」と付けますが、彼のことも「サトシーニョ」と呼んでいます(笑)。

――全体練習後、ブラジル人選手のボール回しに田中選手が加わることもありますね。

ウェリントン　そうですね。彼がちょっと遠くにいても、「一緒にやろうよ」と声を掛けて呼んでいます(笑)。彼も僕たちと一緒にやることを楽しんでくれていると思います。

クラブハウスに来たときから切り替えています

――そんなふうにいつも明るくチームを盛り立ててくれるウェリントン選手ですが、人生を楽しむために心掛けていることはありますか？

ウェリントン　今は新型コロナウイルスの影響で家族が来日できていないので、気持ち的に難しい部分は正直あります。でもだからこそ、家族がいない寂しさを持ち込まないようにピッチの上ではしっかりと切り替えて、明るくいようと意識しています。

――どうやって気持ちを切り替えているのですか？

ウェリントン　まずは選手としていいトレーニングを毎日続けなければいけないので、いいトレーニングをするために、クラブハウスに来たときからしっかり切り替えています。聡をはじめ、チームメートがポルトガル語で話し掛けてくれることで、明るくなれるときもよくあります。

――ウェリントン選手がチームに合流したのは4月でした。これほど家族と離れたことはありましたか？

ウェリントン　初めてですね。これまでは1カ月が最長でした。家族と離れて暮らしていると、多少なりともパフォーマンスに影響するのではないかと思います。家族が近くにいれば、例えば試合の日は必ずスタジアムに来てくれるのでモチベーションはさらに高まるし、子どもたちにいいパフォーマンスを見せたいという気持ちもさらに強くなる。もちろん今の状況を理解して気持ちを切り替え、最大限にプレーしています。でも、やはり家族には早く来てほしいですね。

――一日も早くコロナが終息するといいですね。

ウェリントン　はい。やはりスタジアムにサポーターがいるのといないのとでは、試合の雰囲気はまったく違います。

WELLINGTON **LUIS DE SOUZA**

サポーターが声を掛けてくれたり、太鼓に合わせてチャントで後押ししてくれたりすることで、僕ら選手のモチベーションもより高まる。世界中が今、厳しい状況にあることは理解していますが、早く落ち着いてほしいと思います。

ノリのいい音楽で元気になれる

――厳しい状況下でも人生を楽しくする自分流のコツがあれば教えてください。

ウェリントン　プレーしているときはテンションが高いので、プライベートではできる限りリラックスするように心掛けています。今は家族が近くにいないこともあり、家とクラブハウスを往復する毎日ですが、練習にしっかり取り組み、試合でいいパフォーマンスを発揮するためには、メリハリが大事だと思っています。

――ところで、以前在籍した2014年に『恋するフォーチュンクッキー』をみんなで撮影したことを覚えていますか？

ウェリントン　よく覚えています。自分はDJ役で、最初のセリフがなかなか言えなくて、時間がかかってしまって……（笑）。でも、ほんとに楽しかったですね。ああいう撮影をしたり、選手同士ごはんに行ったりして、関係性や雰囲気がより育まれた部分はあったと思う。残念ながら今はコロナの影響でできませんが、またやりたいですね。

――撮影に使ったヘッドホンは私物だったと思いますが、音楽で気持ちを高めることはありますか？

ウェリントン　音楽はよく聴きますね。ノリのいい音楽で元気になったり、ユーモアを出せるようになったり、試合前に気持ちを高めたり。悲しいときに音楽を聴いて明るくなることもよくあるし、チームメートがノリのいい音楽を聴いていると一緒に踊ることもある。僕はよくブラジルの音楽やアメリカのヒップホップを聴いています。

――チームは残留争いの厳しい状況にありますが、今後どう戦っていきたいですか？

ウェリントン　確かに状況はよくないですが、うちが負けた試合はちょっとしたことが原因で、相手が自分たちより明らかに強いという印象はありません。特にセットプレーからの失点が多いので、しっかり修正しなければいけない。連勝できればチームはいい波に乗れると思います。

――チームが波に乗るために、ウェリントン選手の力は欠かせないと思います。

ウェリントン　チームメートや監督が自分を信頼してくれていることを感じますし、だからこそ期待に応えなければいけないという思いはいつも自分の中にあります。負けてしまった試合も、僕がゴールを決めていればもしかしたら勝っていたかもしれない。もっといいパフォーマンスを発揮してチームに貢献していきたいと思っています。

――活躍を楽しみにしています。

ウェリントン　アリガトウゴザイマス。

8月7日取材

ベルマーレに復帰した直後と今を比べて感じる体の変化

「今回、日本に来た頃の体重は97kg近くだったのですが、今は94kg台になっているので、それだけ減量したぶん、体もすごく軽くなりましたし、運動量も増えたと思います。以前はすぐに疲れたりしていましたけど、今はコンディショニングがもっとよくなって、もっと動ける体になっていると思っています」

For the

チームのために

今シーズンのスローガンは One Bellmare。
チーム一丸となって戦い、勝利を目指している。
ファン・サポーターの期待を一身に背負い
奮闘を続ける注目選手の活躍を振り返る。

文＝大西 徹　Text by Onishi Toru
写真＝兼子慎一郎（試合）、大西 徹（練習）
Photography by Kaneko Shin-ichiro, Onishi Toru

team
SANSUI
湘南平塚モータースクール
PLUS REALTY
東日本株式会社
産業
18

RIZAP
PENALTY
たのしめてるか
ELDIA
三栄建築設計

10

Yamada Naoki

山田直輝

開幕からスタメン出場を重ねるベルマーレの背番号10。J1第5節FC東京戦、第7節横浜F・マリノス戦、第16節川崎フロンターレ戦、第18節浦和レッズ戦で得点を挙げた。

1990年7月4日生まれ、埼玉県さいたま市出身。サッカー歴：北浦和サッカースポーツ少年団→浦和レッズジュニアユース→浦和レッズユース→浦和レッズ→湘南ベルマーレ→浦和レッズ→湘南ベルマーレ　※2008年 浦和レッズトップチーム登録

RIZAP
たのしめてるか。
PENALTY

6

Okamoto Takuya

岡本拓也

昨年に続いてキャプテンを務めるベルマーレ在籍6年目のウイングバック。J1第2節柏レイソル戦、第3節鹿島アントラーズ戦、第18節浦和レッズ戦でゴールを決めた。

1992年6月18日生まれ、埼玉県さいたま市出身。サッカー歴：道祖土サッカー少年団▶浦和レッズジュニアユース▶浦和レッズユース▶浦和レッズ▶V・ファーレン長崎▶浦和レッズ▶湘南ベルマーレ

8月19日取材

次の清水戦で活躍が期待できそうな選手について

「みんないいです（笑）。誰かな……自分が頑張ります。調子が上がっています。チームを勝たせられるようなプレーを自分ができればなと思っています。勢いを持ってやれるという自信があるので、攻撃も守備もチームに勢いを付けられるように。頑張ります」

3

Ishihara Hirokazu

石原広教

アカデミー出身のセンターバック。今シーズンは岡本拓也と共にキャプテンを務めている。ピッチ上でリーダーシップを発揮してチームを一つにまとめる役割を担う。

1999年2月26日生まれ、神奈川県藤沢市出身。藤沢FC▶湘南ベルマーレジュニア▶湘南ベルマーレU-15平塚▶湘南ベルマーレユース▶湘南ベルマーレ▶アビスパ福岡▶湘南ベルマーレ　※2016年 湘南ベルマーレトップチーム登録

RIZAP
PENALTY
MELDIA
三栄建築設計
42
PENALTY
PENALTY

42

Takahashi Ryo

高橋 諒

ドリブルとハードハークが持ち味のウイングバック。J1第4節ベガルタ仙台戦、第5節FC東京戦で得点を挙げた。スタジアムでひときわ目立つ金髪がトレードマーク。

1993年7月16日生まれ、群馬県高崎市出身。サッカー歴：東部小SC ▶雲仙市立国見中学校 ▶長崎県立国見高校 ▶明治大学 ▶名古屋グランパス ▶湘南ベルマーレ ▶松本山雅FC ▶湘南ベルマーレ　※2015年JFA・Jリーグ特別指定選手（名古屋グランパス）

RIZAP
PENALTY
MELDIA
三栄建築設計
5
PENALTY
PENALTY

Kobayashi Shota

古林将太

J1第25節清水エスパルス戦で右サイドから正確なクロスを上げてウェリントンのゴールをアシスト。第26節セレッソ大阪戦では今シーズンリーグ戦初得点を挙げた。

1991年5月11日生まれ、神奈川県南足柄市出身。サッカー歴：湘南ベルマーレジュニア▶湘南ベルマーレJr.ユース▶湘南ベルマーレユース▶湘南ベルマーレ▶ザスパ草津▶湘南ベルマーレ▶名古屋グランパス▶ベガルタ仙台▶湘南ベルマーレ

MELDI
PENALTY
17
湘南

8月27日取材

真夏の暑さについて

「涼しいほうが走れますし、最後まで走れればゴールの機会も増えてきます。ただ、暑い中でもリーグはあるので、やっぱり適応していかないといけないと思っています。たぶんみんなキツいと思うので、そこを強みにもしていかないといけない。だからこそ一試合一試合、暑くてもキツくてもこれを乗り越えようと思っています。そしたらまた次の試合、来月、冬になったとき、もしかしたら来年になってから、もっとカラダ的にも余裕ができると思います」

17

Ohashi Yuki

大橋祐紀

J1第23節鹿島アントラーズ戦で荻田陽生のクロスに左足で合わせ今シーズン初得点を挙げた。第26節セレッソ大阪戦ではチームの4点目を決めて勝利に貢献。

1996年7月27日生まれ、千葉県松戸市出身。サッカー歴：常盤台SC▶柏イーグルス▶ジェフユナイテッド市原・千葉U-15▶千葉県立八千代高校▶中央大学▶湘南ベルマーレ　※2018年 JFA・Jリーグ特別指定選手（湘南ベルマーレ）

RIZAP

MELDIA
三栄建築設計

8

Ohno Kazunari

大野和成

ベルマーレ在籍6年目のDF。J1第16節から第20節まで5試合連続でフル出場を果たした。ピッチ上では大きな声で仲間を鼓舞し、チームでは選手会長を務める。

1989年8月4日生まれ、新潟県上越市出身。サッカー歴：FC高志 ▶ 上越市立春日中学校 ▶ アルビレックス新潟ユース ▶ アルビレックス新潟 ▶ 愛媛FC ▶ 湘南ベルマーレ ▶ アルビレックス新潟 ▶ 湘南ベルマーレ

22

Oiwa Kazuki

大岩一貴

J1第25節清水エスパルス戦から3バックの中央でプレー。第26節セレッソ大阪戦ではJ1通算150試合出場を達成し、10年連続となるリーグ戦での得点を記録した。

1989年8月17日生まれ、愛知県名古屋市出身。サッカー歴：熱田少年SC▶名古屋FC▶名古屋FCジュニアユース▶中京大学附属中京高校▶中央大学▶ジェフユナイテッド市原・千葉▶ベガルタ仙台▶湘南ベルマーレ

RIZAP
PENALTY
MELDIA
三栄建築設計

RIZAP
PENALTY
たのしめてるか。
MELDIA
三栄建築設計
33
PENALTY
PENALTY

33

町野修斗

シーズン序盤から出場を重ね、J1第4節ベガルタ仙台戦、第17節徳島ヴォルティス戦、第20節柏レイソル戦で得点を挙げて、ベルマーレの前線で存在感を示した。

1999年9月30日生まれ、三重県伊賀市出身。サッカー歴：FC中瀬SS▶FCアヴェニーダソル▶履正社高校▶横浜F・マリノス▶ギラヴァンツ北九州▶湘南ベルマーレ

PENALTY
PENALTY
たのしめてるか。
MELDIA
三栄建築設計

8月26日取材

東京五輪の後、ベルマーレに戻ってきて、リーグ戦4試合でつかんだ手応えについて

「キーパーが果たす役割というのは、もちろんどの試合、どの順位にいても、変わらないとは思うんですけど、でもやっぱり大きくなってくるのかなとは思います。自分ができるプレーの幅というのはできるだけ大きくして、チームの負担を減らすようには考えてプレーしています。引き分け、勝利というふうに、いい方向に向かってきてるのかなとは思いますし、自分のプレーもいい方向に向かってきているのかなと感じています」

Tani Kosei

谷 晃生

ベルマーレ在籍2年目のGK。開幕からリーグ戦での出場を重ねてチームに貢献。東京五輪全6試合にフル出場し、W杯アジア最終予選に臨む日本代表に選出された。

2000年11月22日生まれ、大阪府堺市出身。サッカー歴：TSK泉北SC▶ガンバ大阪ジュニアユース▶ガンバ大阪ユース▶ガンバ大阪▶湘南ベルマーレ　※2016年、2017年 ガンバ大阪トップチーム登録 ※2018年 ガンバ大阪プロ契約（高校3年時）

RIZAP
PENALTY
MELDIA
三栄建築設計

32

Tanaka Satoshi

田中 聡

ベルマーレU-18出身で、ボランチやアンカーとしてプレー。アウェーで行われたJ1第9節サンフレッチェ広島戦でゴールを決めてチームに勝点3をもたらした。

2002年8月13日生まれ、長野県長野市出身。サッカー歴：長野FCガーフ▶AC長野パルセイロU-15▶湘南ベルマーレU-18▶湘南ベルマーレ　※2019年 湘南ベルマーレトップチーム登録

RIZAP
PENALTY
PENALTY

8月13日取材

チームメートの名古新太郎選手について

「鹿島でもけっこう仲良く話してたほうでした。こっちでたまたまロッカーが隣で、しゃべりやすいというか、もともと（ベルマーレに）いた選手もそうですけど、名古くんみたいに鹿島でもやってて湘南でも一緒にやれるのは、（山本）脩斗さんもそうですけど、心強いですね」

2

Sugioka Daiki

杉岡大暉

2017年から2019年までベルマーレに在籍。今年8月に鹿島アントラーズからの期限付き移籍で復帰した。J1第24節名古屋グランパス戦から3バックの左でプレー。

1998年9月8日生まれ、東京都足立区出身。サッカー歴：レジスタFC▶FC東京U-15深川▶船橋市立船橋高校▶湘南ベルマーレ▶鹿島アントラーズ▶湘南ベルマーレ

14

Barada Akimi

茨田陽生

ベルマーレ在籍2年目のMF。J1第23節鹿島アントラーズ戦から先発出場を続け、第26節セレッソ大阪戦では1ゴール1アシストの活躍でチームを勝利に導いた。

1991年5月30日生まれ、千葉県浦安市出身。FC浦安ブルーウイングス▸柏レイソルU-12▸柏レイソルU-15▸柏レイソルU-18▸柏レイソル▸大宮アルディージャ▸湘南ベルマーレ　※2009年 柏レイソルトップチーム登録

8月23日取材

最近のコンディションについて

「公式戦に出るにあたって、今まで準備してきてましたけど、やっぱり公式戦に出て、ある程度コンディションがいい、悪いとか、上がってきてるな、ここを修正したほうがいいな、というのはすごく感じているので、公式戦を踏まえて自分のコンディションをもっともっと最高の部分まで上げていけたらなと思っています」

For the

勝利のために

**湘南ベルマーレは2月27日に開幕戦を迎え、
7月11日に第22節を終えると、東京五輪開催に伴い中断期間に入った。
半年に及ぶ戦いで手にした勝利を写真で振り返る。**

文＝隈元大吾　Text by Kumamoto Daigo
写真＝木村善仁（8PHOTO）　Photography by Kimura Yoshihito（8PHOTO）

開幕3連敗を喫したベルマーレにとって、第4節ベガルタ仙台戦は絶対に譲れぬ一戦だった。

開始早々ゲームは動く。2分、ベルマーレは仙台陣内に攻め入ると、相手のクリアボールを名古新太郎がつなぎ、高橋諒が左足を振り抜く。鋭い弾道は雨に濡れたピッチを蹴散らし、ゴールへと吸い込まれた。チームとして今シーズン初の先制点だ。

サイドから攻略を図る仙台に対し、ベルマーレはタイトに寄せて攻め手を封じた。1-0で折り返した後半の立ち上がりにはゴール前に攻め込まれたものの、GK谷晃生の好守もあり、ゴールを許さない。逆に54分にはカウンターから名古が巧みに追加点を仕留めて再び攻勢に転じ、さらに62分にはCKから町野修斗のヘディングシュートが枠を捉えた。飲水後の70分に1点返され、その後も押し込まれたが、谷や大野和成ら守備陣を中心に粘り強く対応し、3-1のまま長い笛を聞いた。待望の今シーズン初勝利は、クラブのJ1通算150勝という節目の記録でもあった。

続く第5節はアウェーでFC東京に2-3で敗れるも、第6節セレッソ大阪戦でスコアレスドローを演じて以降2勝6分けと、ベルマーレはJ1でのクラブ記録となる8試合連続負けなしを記した。その後、横浜FCとアビスパ福岡には連敗したものの、首位を独走する川崎フロンターレを含め、3試合続けて引き分けを演じた。

地道に勝点を積み上げる反面、勝利は遠い。第18節浦和レッズ戦はそんな状況下で迎えた一戦だった。

立ち上がりからリズムをつかんだのはホームの浦和だ。ベルマーレの寄せをかわし、ポゼッションを

win
3月13日(土)16:03　レモンガススタジアム平塚
明治安田生命 J1リーグ 第4節
湘南ベルマーレ 3-1 ベガルタ仙台
湘南得点 2分 高橋諒、54分 名古新太郎、62分 町野修斗
6
OKAMTO
ELDIA

3月27日(土)15:03　レモンガススタジアム平塚

Jリーグ YBCルヴァンカップ Cグループ 第2節

湘南ベルマーレ 1-0 横浜FC

湘南得点　47分 根本凌

高めて主導権を手繰り寄せていく。さらにセットプレーを重ねて押し込むと、9分、クロスからゴール前の勝負に持ち込み、こぼれ球をキャスパー ユンカーがねじ込んだ。ベルマーレも飲水後の27分、ウェリントンが高い位置でパスカットし、田中聡の折り返しに山田直輝がミドルで応えたが、浦和も後半開始まもなく鮮やかなカウンターからユンカーが抜け出し、巧みなループシュートで再び突き放す。その後もゴール前に押し寄せた彼らに対し、谷が身をていして決定機を防ぐなどして追加点を与えない。すると70分、左サイドにポジションを移していた畑大雅のクロスにウェリントンが打点高くヘッドを合わせ、ベルマーレは再び追い付いた。

追いつ追われつのシーソーゲームはしかし、まだ終わらない。87分、梅崎司がカットインしてクロスを送ると、大外で構えていた岡本拓也がクリアのこぼれ球に反応し、潔くゴールを射抜く。離されては追い付き、最後は追い越して、ベルマーレはついに勝利を手繰り寄せたのだった。

だが、くだんの浦和戦以降、ベルマーレは中断期間を挟んで5連敗を喫してしまう。先制してもリードを守れず、1点を争う展開ではゴールが遠い。中断期間に取り組んだ3-4-3のフォーメーションに一定の手応えを得てはいたが、勝点に結ぶことができなかった。

その点、連敗を止めた第25節清水エスパルス戦は、一つの転機と捉えられるかもしれない。結果は1-1も、前期苦戦した相手に攻守で上回っていた。

そうして迎えた第26節セレッソ大阪戦、ベルマーレは立ち上がり早々、ラッキーな形ながら古林将太が先制点を記すと、27分にはセットプレーからタリクがヘディングシュートを仕留め、42分には茨田陽生の鋭いミドルが枠を捉えた。後半に入っても攻勢は止まらず、52分に大橋祐紀が決め、67分にはCKから大岩一貴がねじ込んだ。守っては3-5-2のブロックが機能し、相手にリズムを与えない。谷を中心にゴール前も堅く、PKによる1失点に抑えた。

勝利の背景にある粘り強いプレーが印象深い。試合中、またリーグ戦の流れにおいて、彼らはさまざまな逆境をはね返し、前に歩を進めている。

産業能率大学
23
RIZAP
サン・ライフ
PENALTY

4月10日(土)14:03　エディオンスタジアム広島

明治安田生命 J1リーグ 第9節

サンフレッチェ広島 0-1 湘南ベルマーレ

湘南得点　56分 田中聡

Commandos
BAD BOYS
OKAYAMA
MELDIA
三栄建築設計
RIZAP
PENALTY
たのしめてるか。

5月9日(日)15:03　レモンガススタジアム平塚

明治安田生命 J1リーグ 第13節

湘南ベルマーレ 2-0 大分トリニータ

湘南得点　17分 名古新太郎、90+2分 ウェリントン

FUJITA

6月5日(土)14：03　駒沢オリンピック公園総合運動場陸上競技場

Jリーグ YBC ルヴァンカップ プレーオフステージ 第1戦

FC東京 0-1 湘南ベルマーレ

湘南得点　71分 ウェリントン

産業能
WELLINGTON
NT
日本端子

6月9日(水)19:00　レモンガススタジアム平塚

天皇杯 JFA 第101回全日本サッカー選手権大会 2回戦

湘南ベルマーレ 0−0(PK 4-3) F.C.大阪

PK戦
湘南キッカー

1人目 梅崎司、2人目 池田昌生、
3人目 田中聡、4人目 町野修斗

6月20日(日)19:04　埼玉スタジアム2002

明治安田生命 J1リーグ 第18節

浦和レッズ 0-3 湘南ベルマーレ

湘南得点　27分 山田直輝、70分 ウェリントン、87分 岡本拓也

RIZAP
8
6
PENALTY

7月7日(水)19:00　レモンガススタジアム平塚

天皇杯 JFA 第101回全日本サッカー選手権大会 3回戦

ヴァンラーレ八戸 1-2 湘南ベルマーレ

湘南得点　53分 梅崎司、113分 平岡大陽

RIZAP
サン・ライフ
PENALTY

8月25日(水)19:03　ヨドコウ桜スタジアム

明治安田生命 J1リーグ 第26節

セレッソ大阪 1-5 湘南ベルマーレ

湘南得点　4分 古林将太、27分 タリク、42分 茨田陽生、52分 大橋祐紀、67分 大岩一貴

RIZAP
PENALTY

Home games in August

真夏のホームゲーム

チームは中断期間に御前崎や馬入でトレーニングを実施。
8月にレモンガススタジアム平塚でリーグ戦3試合に臨んだ。
勝利を目指して貪欲に戦ったホームゲームを振り返る。

文=大西 徹　Text by Onishi Toru
写真=兼子慎一郎　Photography by Kaneko Shin-ichiro

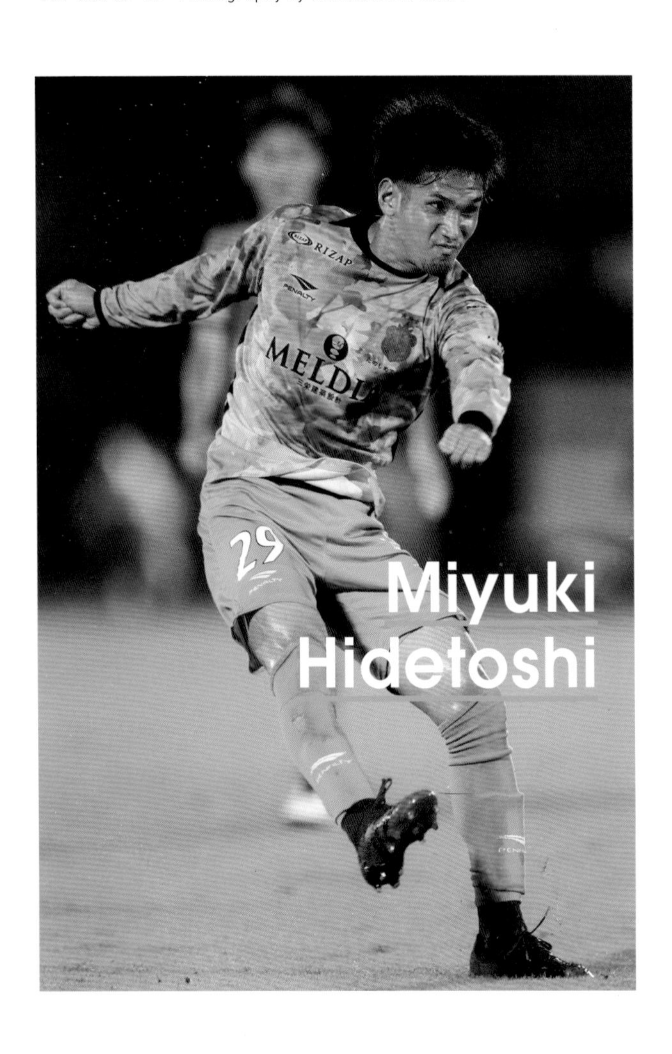

Miyuki Hidetoshi

Ohashi Yuki

強風が吹き荒れる中断明け初戦。ベルマーレのスタメンには茨田陽生、三幸秀稔、山本脩斗らが名を連ねた。13分に茨田が左サイドで鋭い切り返しからクロスを上げると、大橋祐紀が左足ボレーで待望の今シーズン初ゴール。29分に同点ゴールを許すと、前半終了間際にウェリントンが頭で合わせるが枠を捉えられない。69分に古林将太とタリク、80分に舘幸希と畑大雅がピッチに送り込まれる。しかし、90+2分にCKから失点。後半の追い風は惜しくも生かせなかった。

8月9日(月・祝)19:03 レモンガススタジアム平塚
明治安田生命 J1リーグ 第23節
湘南ベルマーレ 1−2 鹿島アントラーズ
湘南得点　13分 大橋祐紀

Yamamoto Shuto

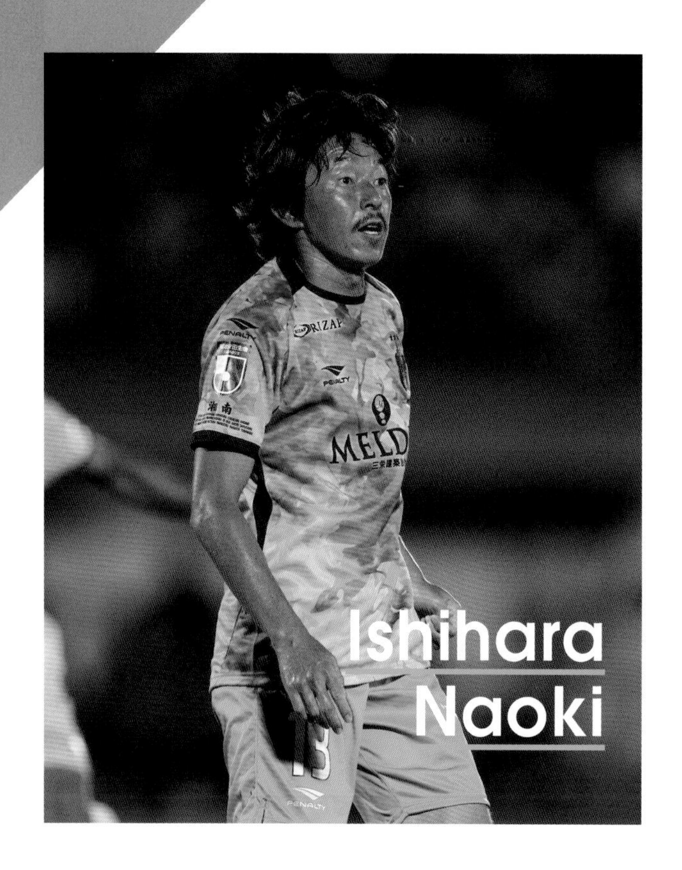

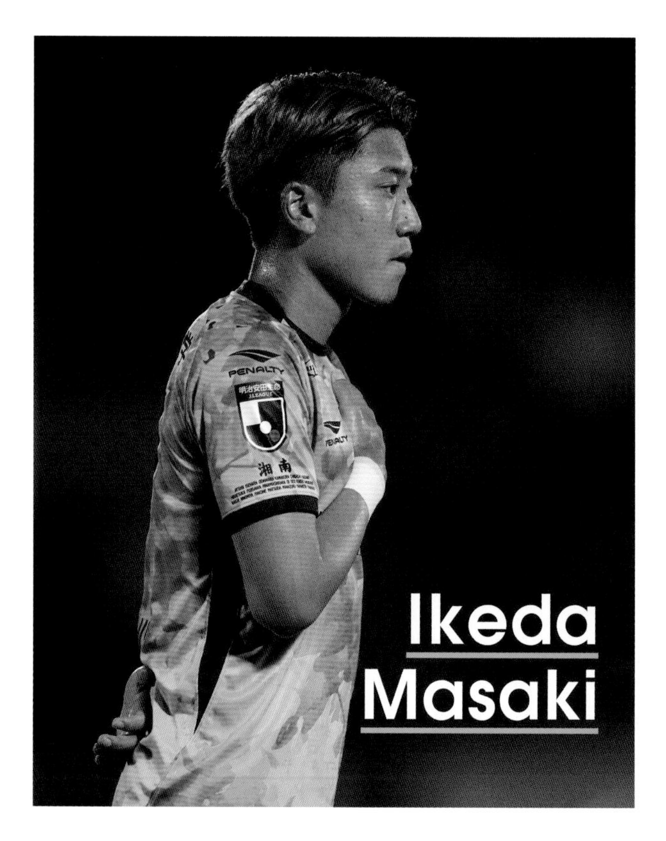

ホームで連敗を止めるために、ベルマーレは3バックの中央に大岩一貴、右に石原広教という配置で臨んだ。30分、右ウイングバック古林将太のクロスにウェリントンが頭で合わせてベルマーレが先制する。ところが、前半終了間際に失点を喫してしまう。浮嶋敏監督は67分、岡本拓也、池田昌生、大野和成を送り込む。80分には石原直樹が入り追加点を狙う。後半はシュート6本、CK9本とチャンスをつくるが、ゴールを奪えず結果はドロー。連敗を止めて勝点1を獲得した。

8月21日(土)19:03 レモンガススタジアム平塚

明治安田生命 J1リーグ 第25節

湘南ベルマーレ 1-1 清水エスパルス

湘南得点 30分 ウェリントン

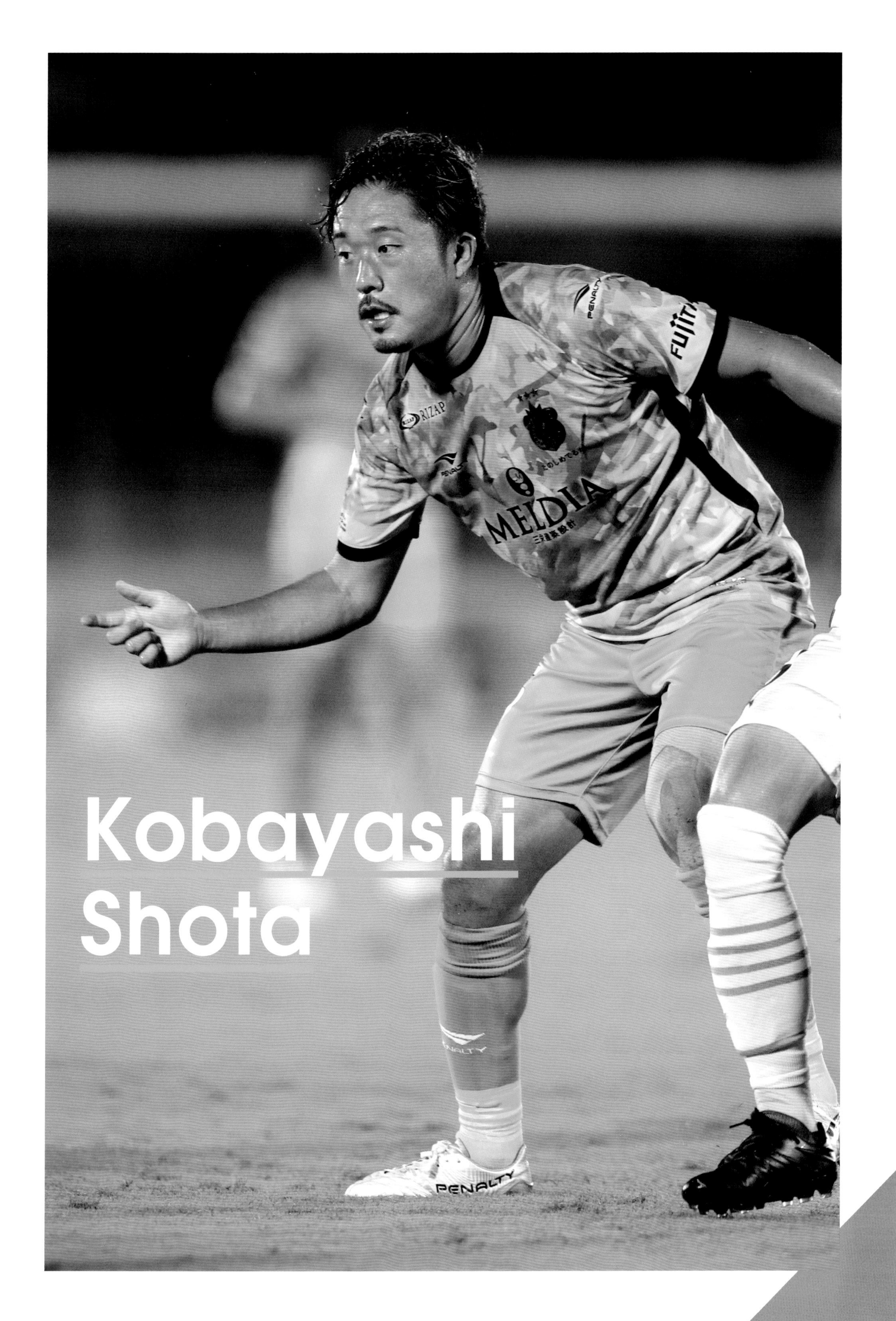

Kobayashi Shota

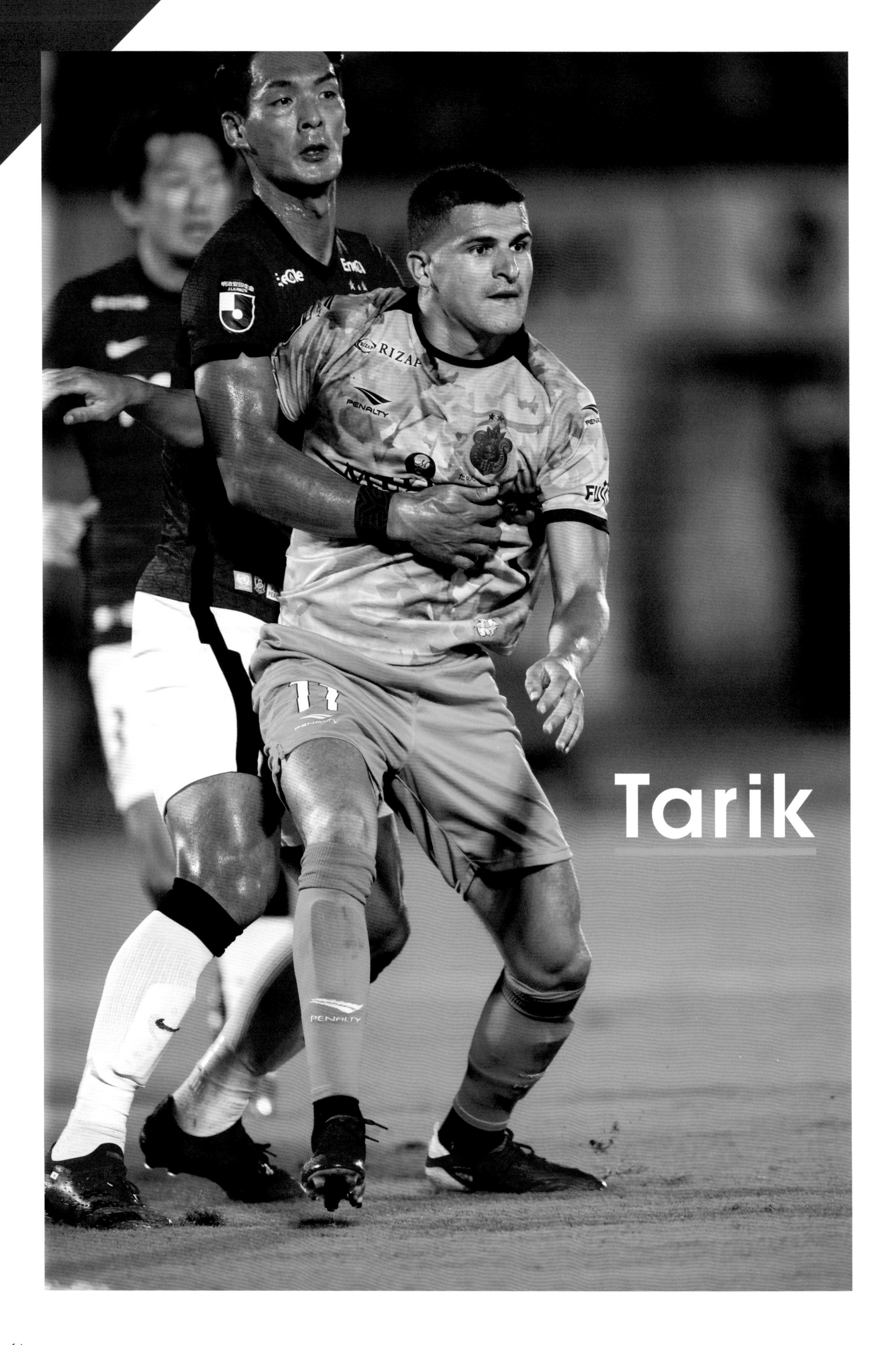
Tarik

4日前に勝利を収めたチーム同士の対戦。ベルマーレはタリクと大橋祐紀の2トップでキックオフを迎えた。8分、大橋がドリブルを仕掛けてシュート。23分、古林将太のクロスにタリクが飛び込む。後半開始から茨田陽生に代わり池田昌生が入る。59分には古林とタリクに代わり、畑大雅とウェリントンが送り込まれる。66分、池田のクロスにウェリントンがヘディングで合わせるが枠を捉えられない。シュート8本、CK7本というチャンスを生かし切れず勝点は1にとどまった。

8月29日(日)19：03 レモンガススタジアム平塚

明治安田生命 J1リーグ 第27節

湘南ベルマーレ 0−0 浦和レッズ

湘南得点 ――

SUMMER IN 湘南のShow timeだ！真夏のキックベース大会 in 茅ケ崎

Presented by FIELD MANAGEMENT

文＝大西 徹　Text by Onishi Toru
写真＝兼子愼一郎、大西 徹　Photography by Kaneko Shinichiro, Onishi Toru

2021.7.31 SAT. 茅ヶ崎公園野球場

たたかえてるか！バチャミチーズ96		“たましいコメて”濱田精麦	
山田直輝（C）	平松昇	大野和成（C）	立川小太郎
三幸秀稔	茨田陽生	池田昌生	名古新太郎
古林将太	平岡大陽	町野修斗	柴田壮介
畑大雅	高橋諒	田中聡	大橋祐紀
富居大樹	オリベイラ	堀田大暉	タリク
石原広教	石原直樹	岡本拓也	ウェリントン
大岩一貴	蓑田広大	舘幸希	ウェリントン ジュニオール
山本脩斗		毛利駿也	

※谷晃生はＵ-24日本代表活動期間のため不参加

10:00 海にゴミは行かせない！LTOゴミ拾い活動

サッカー選手が本気でキックベースに挑んだらどうなるのか？　そんな疑問を確かめるために、ベルマーレの選手、スタッフ、そして大勢のファン・サポーターが茅ヶ崎公園野球場に集まった。東京五輪開催に伴う中断期間に目にしたキックベース大会の光景が今でも忘れられない。

7月31日、天候は晴れ。選手たちの姿を見るのは7月11日のホームゲーム以来、20日ぶりだ。強い日差しが照りつける中、昼頃から来場者の数が徐々に増え始め、フードパークや入場ゲートに並ぶ人の列が長くなっていく。

時計の針が15時を指し、プレイボールのサイレンが球場に鳴り響く。選手たちはこの日のために作られたユニフォームを着てキャップもかぶっている。試合が始まると、投げて、蹴って、走って、目が離せないプレーの連続に客席からは拍手が送られた。試合の途中にはキングベルⅠ世も登場して観衆の笑いを誘う。そして、「たたかえてるか！バチャミチーズ96」が10-6で勝利を飾ると、キャプテンを務めた山田直輝は胴上げで宙を舞い、マン・オブ・ザ・マッチに選ばれた。

サッカー選手が本気でキックベースに挑んだらどうなるのか、試合が始まるまでは全く想像がつかなかった。あの暑かった一日を振り返ると、「たのしめてるか。」という問いの答えを象徴するような時間が流れていたと思う。球場で目にしたまばゆい光景が今でも鮮明に浮かんでくる。

14:41 両チーム選手登場

TEAM 一 二 三 四 五 六 七 八 九 十 R
UMPIRE
PL 1B 2B 3B
S B O
H E Fc
湘南ベルマーレ
真夏のキックベース大会
120M

PENALTY

PENALTY
たのしめてるか。

PENALTY

PENALTY

PENALTY

15:00 プレイボール

FUJITA
PENALTY
PENALTY

Color

FUJITA

FUJITA

PENALTY

PENALTY
JOKER

15:18 白熱したプレーの連続

12

日本端

NT
日本端子

Bellmare
TK O

「たたか てるか
馬車道法律事

Bellmare

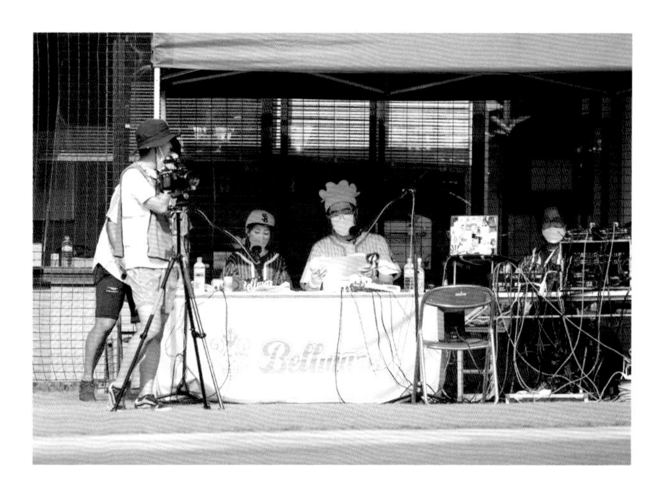

15:50 楽しむことを忘れない選手たち

16:02 キングベルⅠ世がまさかの……

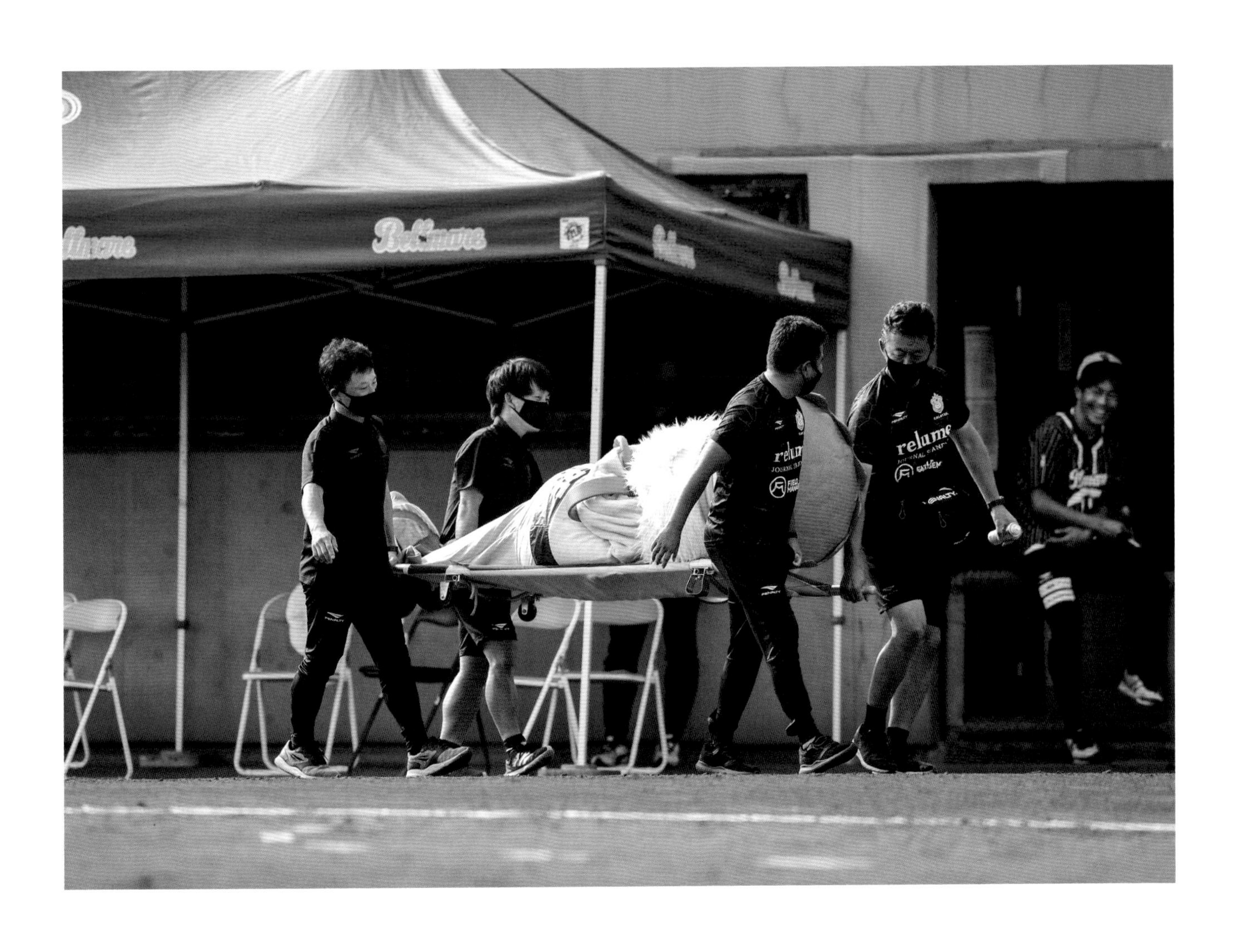
relume

PENALTY

Bellmare
会社

Bellmare

12

12

12

16:40 試合終了

PENALTY
12
12
12
12
12

Bellmare

Bellmare
Bellmare

Bellmare
Bellmare

TEAM
一 二 三 四 五 六 七 八 九 十
R
UMPIRE
PL 1B 2B 3B
S B O
H E Fc
ネイビー 0 8 0 2 0 10
グリーン 0 0 4 2 0 6
グリーン
1 立川
3 名古
4 大橋
5 堀田
7 大野
8 毛利
9 町野
ネイビー
1 平岡
2 蓑田
3 山田
4 畑
5 三幸
7 山本
8 高橋
9 平松

山田直輝

「本日はお暑い中、応援していただきありがとうございました。中断期間に僕らは合宿に行って、後半戦はさらに湘南らしいサッカーができると思うので、僕らの戦う姿をぜひスタジアムに見に来てください。このご時世ですが、皆さんの声援が僕らの力になると思うので、湘南ベルマーレ、One Bellmareで頑張りたいと思います」

大野和成

「本日はお暑い中、足を運んでいただきありがとうございます。僕たちのチームはずっと日差しを浴びていて非常に暑くて、それも敗因かなと思っています。僕たちのチームは負けましたが、皆さんに喜んでもらえるのは中断明けからの試合だと思っているので、選手一丸となって、残り少ないですけどしっかり練習して、皆さんに勝利を届けられるように頑張りたいと思います」

SHONAN DAYS

ISSUE 01

湘南デイズ ISSUE 01

発行
株式会社アトランテ
105-0003 東京都港区西新橋2-4-3-6F
https://atlante.jp
☎03-6403-0370
E-mail support@atlante.jp

発行人・編集長
大西 徹　Onishi Toru

デザイン
大池 翼　Oike Tsubasa

表紙写真
兼子愼一郎　Kaneko Shin-ichiro

協力
株式会社湘南ベルマーレ

発行日　2021年9月18日

編集後記

ベルマーレを日々取材する中、選手の言葉や勇姿をもっと届けたい、という思いに駆られたものの、2019年から毎年発行している『SHONAN BOOK』の枠組みにはうまくハマらないこともある。ならば、別の形で作ってみるかと発想を変えて『SHONAN DAYS』を創刊することになりました。選手が「七夕記念ユニフォーム」を着用した試合を取材したほか、「真夏のキックベース大会」も撮影したので、夏の思い出を凝縮したような一冊となっています。新型コロナウイルスの影響でまだまだ不安な日々が続きますが、これからもベルマーレの魅力をさまざまな形で届けていけたらと思っています。　（大西）

Printed in Japan　ISBN 978-4-910275-02-4